아침놀은 황금빛
THE IDOLM@STER

CONTENTS

THE IDOLM@STER
Animated cartoon based on videogame by BANDAI NAMCO Entertainment Inc.

ARE YOU READY!! I'M LADY!!

CONTENTS

4

제19화
THE IDOLM@STER
Cartoon base on videogame by
BANDAI NAMCO Entertainment Inc.

그럼 오늘부터 연습을 해볼까요

예, 괜찮아요.

방과 후에 시간은 비어있으신가요?

좀 이르지만 오토나시 양

아, 하지만 오늘은 음악실을 취주악부가 쓰는 날인데

어?

하지만 그렇다면 곤란하네요… 연습 장소는 어떻게 하죠?

그러면

화요일과 목요일은 우리들 경음악부가 쓰지만, 그 외의 날에는 취주악부가 쓸거야

그렇구나

우리 집에서

딩—동 댕—동

딩—동

댕—동

집에서?!

소리는 괜찮아!?
동네 사람에게
민폐 끼치는 건!?

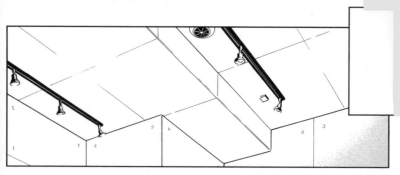

와아…

코토리 짱,
가방은
이 쪽에 둬

집에 방음실이 있다니 너무 굉장한데요

흐아~

아
예

방음되어 있으니까 큰 소리 나도 괜찮아요...

둥둥

두
두
둥

연주 맞춰 볼테니까 적당히 들어와 주세요

사치가 제일 열 냈잖아…

후우…

아니 아니…

예⋯

적당히⋯?

열심히
하고 있네

안녕~

달
깍

간식이야

아야노,
미나

와~

이거

꽤 느낌
좋던데

얏호—

오토
나시
양...

마지막
부분이
들리지
않았지만
말야~

나중에 폴로 들어줘♪

눈치
있네—

예…?

들리지 않았나?

리테이크다

아니, 이미 촬영도 잡혀 있는데요…

싸━아…

납품일도…

그런 건 아무래도 좋아

배경 컷을 3배로 늘려라

3인의 컷은 등이나 하반신을 중심으로

얼굴을 비추는 건 후반에 일 순간 만으로 충분해.

……

알게 뭐냐

그런건 과장님이 직접 말씀하세요

그 감독, 정말로 무서우니 까요

아침놀은 황금빛

THE IDOLM@STER

귀신과 부처…

타카기
과장님…

하하…

우우웃…

진정해

자기도
콘티 체크
했으면서…

나도
말을 해둘
테니까

타카기

빨리 답을
들려줘라

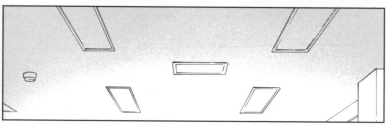

24

웬일이냐

네가 먼저
가자고
하다니

달그락

타카기

으음

다시 한번
그 스테이지를
재현하고
싶지 않나

우리들
둘이서

더 이상
'아이돌의
겨울 시대'
같은 야유를
받지 않겠어

블랙 니들은
프로젝트의
서막에
지나지 않아

그래서

그 스테이지를?

거기에는 그 스테이지야말로 안성맞춤으로 딱 맞지 않냐

프로젝트에는 목표가 필요하다

뭐가

너와 이야기를 하고 있으면 가끔씩 알 수가 없어져

지금이라면 그 스테이지를 실현할 수 있다

이상적인 답이군

그러지 못하면 앞으로는 나아갈 수 없어.

너도…

오토나시 코토미도

너…

……

우편물
입니다

아,
고마워

과장

30

아침놀은 황금빛
THE IDOLM@STER

오토나시 코토리 군?

그 날의 답례라기엔 부끄럽지만 제가 다니는 학교에서 학교축제가 있습니다.

지난 번은 여러가지로 감사했습니다

타카기 준지로 님께

학교축제…

거기에서
작은 이벤트를
기획하고 있습니다.
혹시나 시간이
괜찮으시다면
(이하 생략)

빠르군.
벌써
이 계절인가…

제20화

THE IDOLM@STER
Cartoon base on videogame by
BANDAI NAMCO Entertainment Inc.

제38회 오쇼제

VIVA!!

실꿀 시꿀 시꿀 실꿀

오토나시!
일단 착착
구워줘!

지글

지글

알았어!

웅성 웅성

다코야키 오코노미야키

시꿀 시꿀

어,
그럼…

지금
들어온
주문이
42,
2,
1…

아침놀은 황금빛
THE IDOLM@STER

6개 됐어요

알바하면서 구워 본 적이 있다나봐

코토리는 요리 특기였어?

뭔가 또 모를 특기를…

바스락

통통

감사합니다~!

뭐 그래도 못 하는 것보다야 나은가…

하하

우리는 치음에 디 태워버렸으니까…

아, 저기 있네

야리

슬슬 나갈 차례야~

어, 벌써 시간 됐어?!

코토리짱

야키소바는?

잠깐

응?

미안

아야노, 미나, 교대해 줘!

......

부탁할게!

아침놀은 황금빛
THE IDOLM@STER

뭐 어쨌든 이번은 태우지 않도록 해보자.

지글——...

그러네…

바쁘실 테니
오시지는
못 하겠지…

……

빨리 들어가 보자

제38회

예전엔 자주 스카우트 목적으로 여러 학교를 돌아다녔었지만…

웅성
웅성

!

축구부 명물 물만두는 어떠십니까?

맛있는 야키소바 입니다

야키소바 어떠신가요?

프랑크 푸르트 소세지 지금은 대기 시간 없어요

아침놀은 황금빛

THE IDOLM@STER

되받아쳐 주겠다!

관객들이 꽤 많이 들어와 있네…

슬슬 준비 부탁 드립니다

예…

후우~…

하아 ―…

중앙에 드럼 세트, 양 쪽 구석에 앰프를

옮길 기재는

자세한 조정은 지의들이 하죠

안 돼
......

떨림이
멈추질
않아

이…
이대로는…

오토나시
양…

우리 부모님은
오토나시
코토미의
열성 팬이었어요…

……

그랬어
요…?

애초에
그게
인연이 되서
결혼하게
되었을
정도로…

예

부모님이
자주 오토나시
코토미의
옛날 CD나
비디오를 틀고
있었으니까…

그래서
그 곡을
알고
있었던
거네요

오토나시
양의
노래…

어머님
하고…

코토미씨의
노래하고
아주
비슷했어요…

응

나도 자주
엄마의 비디오를
보고 그랬으니까

준비는
됐어?

사치,
코토리짱

짝
짝
짝
짝

2학년 1반
여러분들
이었습니다

짝
짝

짝
짝
짝

툭
-3

떨림이
멈췄어…

꽝
악

삐ㅣ━━━━ㅇㅇㅇ

아침놀은 황금빛

THE IDOLM@STER

THE GAME FOLLOWS THE CAREER OF A PRODUCER WHO WORKS FOR
THE 765 PRODUCTION STUDIO AND HAS TO WORK WITH A SELECTION OF THIRTEEN PROSPECTIVE POP IDOLS

아침놀은 황금빛

THE IDOLM@STER

THE GAME FOLLOWS THE CAREER OF A PRODUCER WHO WORKS FOR
THE 765 PRODUCTION STUDIO AND HAS TO WORK WITH A SELECTION OF THIRTEEN PROSPECTIVE POP IDOLS

아침놀은 황금빛
THE IDOLM@STER

두우웅   두우웅   끼이이잉····

삐————ㅇㅇㅇ

치지지직···

호오...

오토나시
군...

제21화
THE IDOLM@STER
Cartoon base on videogame by
BANDAI NAMCO Entertainment Inc.

다시 소개 드려요. "레인"입니다

우선은 한 곡 들려드렸습니다

리더인 드럼은 사치

어— 그러면 일단 여기서 멤버 소개를 하겠습니다

54

두우웅

베이스
히로코

지

이
잉

앙

기타
아키나

잘 부탁드려요

그리고
보컬인
코토리입니다

그러면
다음 곡

사람들 앞에서
노래 하는 건
역시 엄청
긴장되지만

어째설까

하지만——

왠지——

아침놀은 황금빛
THE IDOLM@STER

이런 식으로 스테이지에서 노래한다는 건…

처음엔 절대 무리라고 생각했었 습니다

저는

예전부터 울렁증으로…

그랬던 저였지만

최근은 이런저런 만남 덕분에 조금 변했다고 해야 겠네요…

다음 곡은 멤버 모두들에게 무리한 부탁을 해서 부르게 된

제게 있어서는 특별한 곡입니다

후우

……

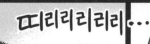

따리리리리리리…

따리리리리러리…

다시 한번 당신과 ㅡ

아침놀은 황금빛

THE IDOLM@STER

THE GAME FOLLOWS THE CAREER OF A PRODUCER WHO WORKS FOR
THE 765 PRODUCTION STUDIO AND HAS TO WORK WITH A SELECTION OF THIRTEEN PROSPECTIVE POP IDOLS

아침놀은 황금빛

THE IDOLM@STER

THE GAME FOLLOWS THE CAREER OF A PRODUCER WHO WORKS FOR
THE 765 PRODUCTION STUDIO AND HAS TO WORK WITH A SELECTION OF THIRTEEN PROSPECTIVE POP IDOLS

제22화
THE IDOLM@STER
Cartoon base on videogame by
BANDAI NAMCO Entertainment Inc.

코토리!

짝
짝
짝
짝
짝
짝
짝
짝
짝
짝
탁
탁

좋았어!
정말로
좋았
다고!

와앗!

왁
락

아하
하…

우리들의
눈에
흐림은
없었다!

오토…

오토나시 양

아, 처음 뵙겠습니다

매번 연습 장소를 빌려 주셔서…

우리 부모님 이세요…

정말로 닮았어…

코토미하고 꼭 닮았어…

울먹 울먹

네?

그 날의 라이브를 19년 지나서 본 것 같네…

최고 였어요!

아까도 설명했지만 부모님은 오토나시 코토미의 팬이셔서…

의기투합 했던 게 계기였고

거기서 이 사람과 만나서

그러셨 군요…

애도 참, 그 이야길 해준게 어젯밤 이었거든.

하지만… 어차피 이렇게 될 테니 까요…

사치한테 코토미의 딸과 학교 축제에서 라이브를 한다고 들었을 때엔 믿을 수가 없었어

아침놀은 황금빛
THE IDOLM@STER

팬들 대부분은 기념삼아서 그대로 갖고 있다는 이야기야

주최 회사 측에서는 티켓을 환불해 주겠다고 공지가 있었지만

환상으로 끝난 오토나시 코토미의 퍼스트 라이브

그 티켓이

자, 여기 있어

나도

와아!

그리고 보니까 그 때…

19년 전의 티켓…!

올…

어쩔 수가 없었네요…

부모님께 말씀드리면 이렇게 될 줄 알고 있었으니까…

폐가 될거라 생각했었는데…

하지만,

티켓 갖고 오셨으니까…

응…!

얘들아!

사악

아침놀은 황금빛

THE IDOLM@STER

마치—

필사적으로 노력해서 극복한 거였는 걸요~

아주 노래에 자신없던 울렁증 여자아이였다고는 생각할 수 없었네

타카기 씨에게 엄마의 이야기를 듣고서…

조금이라도 좋으니까 가까워지고 싶어졌고

막상 그렇게 되니까 조금 무서웠지만…

그래도

아침놀은 황금빛

THE IDOLM@STER

자신을
믿고서

조금씩이라도
앞으로
나아가려고

코토미

그렇구나

아침놀은 황금빛

THE IDOLM@STER

THE GAME FOLLOWS THE CAREER OF A PRODUCER WHO WORKS FOR
THE 765 PRODUCTION STUDIO AND HAS TO WORK WITH A SELECTION OF THIRTEEN PROSPECTIVE POP IDOLS

아침놀은 황금빛

THE IDOLM@STER

THE GAME FOLLOWS THE CAREER OF A PRODUCER WHO WORKS FOR
THE 765 PRODUCTION STUDIO AND HAS TO WORK WITH A SELECTION OF THIRTEEN PROSPECTIVE POP IDOLS

여어,
나다

예,
여보세요

아침놀은 황금빛

THE IDOLM@STER

무슨 일이야, 이런 시간에?

지로냐?

좀 묻고 싶은 게 있는데

응? 뭘려나?

예전에 그 이야기,

아직 유효한 거냐?

제23화

THE IDOLM@STER
Cartoon base on videogame by
BANDAI NAMCO Entertainment Inc.

후룹…

어서
오세요—

딸
랑
딸
랑

죄송해요, 아르바이트 때문에 늦었네요

아냐아냐,. 갑자기 불러낸 것은 나니까

타 다 딱

아, 으— 음...

주문은?

그 날은 감사했습니다

바쁘신데 보러와 주셔서

멋진
무대였다

아니, 감사를
해야할 건
내 쪽이네

달그락

부끄
부끄

타카기 씨
같은 현업 쪽
분께서, 그런…

아니…

정말로
가서 보길
잘했어

그
무대는…

자네의 노래는,
내게 소중한 것을
다시 생각나게
해줬는 걸

19년 전에
내가
잃어 버렸던
것을

오늘 일부러
와달라고 한 건
자네에게
부탁할 게
한가지
있어서네

뭔가요?

?

내가 준비할 스테이지에 올라와 주지 않겠나?

…예?

아주
진지한데

무슨
농담이냐?
이건

너 정도
되는
남자가…

그런 짓은
프로젝트를
사유화하는
거다!

그
말대로다

하지만 이건 필요한 일이라고 생각한다

내게 있어서도

너에게 있어서도

…큭

블랙 니들의 프로듀서는 나다

뭐 괜찮겠지, 하지만!

타양

부탁할거라면
머리를
숙여라

부탁한다

…큭!

저…
실례합
니다

네

과장은
아직 회의
중이라서

미안
합니다

그 쪽은
로커 룸
이고요

안 쪽이
스튜디오
입니다

그렇군요

감사
합니다

내가…

앞으로
나아가기
위해서

어쨌든
해볼 수
밖에.
해보자

타아악

······

아침놀은 황금빛

THE IDOLM@STER

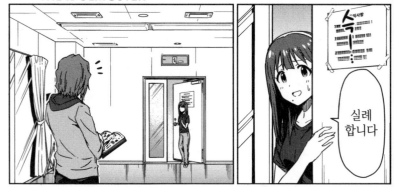

실례
합니다

아,
예

타카기 씨가
말했던
아이가
넌가?

흐응…

?

오토나시
코토리
입니다!

아침놀은 황금빛
THE IDOLM@STER

THE GAME FOLLOWS THE CAREER OF A PRODUCER WHO WORKS FOR
THE 765 PRODUCTION STUDIO AND HAS TO WORK WITH A SELECTION OF THIRTEEN PROSPECTIVE POP IDOLS

아침놀은 황금빛

THE IDOLM@STER

THE GAME FOLLOWS THE CAREER OF A PRODUCER WHO WORKS FOR
THE 765 PRODUCTION STUDIO AND HAS TO WORK WITH A SELECTION OF THIRTEEN PROSPECTIVE POP IDOLS

제24화

THE IDOLM@STER
Cartoon base on videogame by
BANDAI NAMCO Entertainment Inc.

나, 나한테
무슨 용무
신가요—?

굉장한
미소녀!

그렇다쳐도
실물은
진짜 엄청
귀여워—!

아침놀은 황금빛
THE IDOLM@STER

어디까지 라뇨…?

어디까지 들었어?

타카기 씨…

과장에게서 무대에 출연해 줬으면 한다고

그게…

예?

그 무대란 다음 번 우리들 라이브인데~

불쑥

네에에에에엣?!

뭐,
야외
무대란
점은
맞았지만

야외
무대
?!

저, 저는
상점가
같은 데
이벤트
무대 정도
겠거니
하고

블랙 니들의 다음 야외 무대에

그니까 요컨대 저는…

그 사람은 옛날부터 그랬는걸

타카기 씨, 어째서 중요한 걸 전해주지 않은 걸까요

어째선지 출연하게 되었다…?

기다려 기다려

터억

삐악!

슬금 슬금

실례했습니다―…

모두 처음엔 그랬다고!

아니 무리 라고요! 저는 초보 라고요?!

우―앙!

코토미도
그랬는걸

엄마도…

122

자신이 없는 것도 아주 닮았네

같은 무대에 서는 거라면

우리들 오늘부터 동료네

팡팡

아, 아뇨

아직 그렇게 결정된 건 아니고

당신 어머니가…

어어어어엇!

오토나시…라고—

글쎄…?

코토미가 누구?

……

전설의!

그 오토나시 코토미?!

제 어머니를 알고 계신가요?

?

전설…?

그래도

물론 직접 만난 적은 없지만

내게 있어서는 넘어서야만 하는 목표 중 하나니까

126

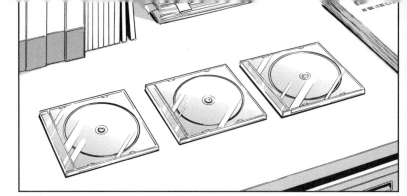

대신 딸이
부르게 하는
걸로 되갚은
기분이라도
될 셈이냐

라이브에서
코토미가
노래했을
곡들을

하하…

그런
대단한 건
아니야

갚아?

…너 장난 하자는 거냐?

하지만 재미있겠지?

오래간만에 두근두근하고 있는걸

나름 진지하다고

쿠로이

네가 말한 것도 계기가 되었다고

확실히 슬슬 앞으로 나아갈 때일지도 모르겠다고

기웃뚱

아얏!

털썩

흔들

흔들

무엇보다 몸이 만들어져 있지 않아…

리듬감은 중간보다 이래

대단해… 움직임이 가벼워

야생의 여우와 집에서 기른 고양이 정도 차이가 있어

우선은 몸의 코어를 단련하는 근육 트레이닝 이려나

뭐 댄스의 기초는 나중에 쭉 배워야 할거고

예?

저기

나중에 앞으로 매일 할 메뉴를 줄테니까

예에…

아, 아주
건강해요

뿅긋

너는
지병 같은 건
없겠지?

그래…

튼튼한 게
내세울
점이니까

꿀
꺽

후

옆

앉아도 되지?

아

아, 응!

부디 어서

……

안절부절

안절부절

와, 와카미야 카즈사 씨… 였지요

그래…
아, 저기
언제나 TV에서 봤어요!
라이브도 봤어요!
이틀 모두!
대단했어요. 그렇게 격한 레슨 뒤인데 거의 숨이 가빠지지 않고요
저기 카즈사 씨들은 보통 어느 정도로 레슨을 하는 거죠?
…매일 최저 3시간
그렇게나?!
그, 그런 거군요?!
이미 지고 들어가네…
하아…
추욱…
…코토리 양은
예?

아이돌을
목표로
하고 있나요?

어

어째서
지요?

저

어,
아뇨…

전혀
그럴
셈은…

울렁증
이고…

'강한 아이돌'이
될 자질을
갖고 있는 게
아니었던가요

하지만 당신은
어머니가
되고 싶었어도
되지 못했던

'강한 아이돌'
의…
자질?

그런 전설적인
아이돌이라면
이름 정도는
들어봤을
만도 한데

그렇네요.
나도
들어본 적
없어요

어째서
인데요?

오토나시
코토미의
경우는
TV각국도
라디오 방송도
일체 다루지
않으니까

우와…

그건 소위 업계의 압력이란 건가요

중요한 라이브 직전에 실종되었어

우리 상층부가 그 사건에 격노했고

높으신 분에게 거스르면 연예 일 같은 건 간단히 없던 일이 돼 버리니까

응, 그러니까 모두 조심하는 거다?

아

소문으론 그 때문에 타카기 과장도 출세를 놓쳐버렸다 라고…

핫!

어, 어째서 내가 아이돌이 되는 방향으로—?!

아침놀은 황금빛

THE IDOLM@STER

THE GAME FOLLOWS THE CAREER OF A PRODUCER WHO WORKS FOR
THE 765 PRODUCTION STUDIO AND HAS TO WORK WITH A SELECTION OF THIRTEEN PROSPECTIVE POP IDOLS

아침놀은 황금빛

THE IDOLM@STER

THE GAME FOLLOWS THE CAREER OF A PRODUCER WHO WORKS FOR
THE 765 PRODUCTION STUDIO AND HAS TO WORK WITH A SELECTION OF THIRTEEN PROSPECTIVE POP IDOLS

제25화
THE IDOLM@STER
Cartoon base on videogame by
BANDAI NAMCO Entertainment Inc.

쿠쿠구

진헝둥둥

이런 불확실한
소문 이야기가
멋대로
돌아다닌다는
사실을—…

아니,
이건

제 견해가
아니라

카네모리는
다음 현장
확인을
다녀오겠
습니다!

타앗

그런
소문을
퍼트리는
것이
너의
일이냐?

삐질
삐질

아…
아뇨

......

흥

저기

그 전에
하나
물어봐도
될까요?

'강한 아이돌'
이란 뭐죠?

카즈사 양이
말하는

'강한 아이돌'
이란

보는 사람을 절대로 실망시키지 않는

주위에 영향 받지 않고 타인의 힘을 빌리지 않는

무엇보다 자기 자신의 약함에 결코 지지 않는

과연

그런 아이돌 이에요

그건 '강한 아이돌' 이네요

카즈사 양은
아이돌이란 일에
열심히 진지하게
몰두하고 있구나

아이돌이라는
자신에게
긍지를 갖고
있어…

당신은
용모도
노랫소리도

오토나시
코토미씨와
아주
닮았다는
이야기
잖아요

뭐
어머니와
딸이니
어느
정도는…

하지만

저
정도에게
그럴
자격
이…?

146

그건 노력하기 나름으로 어떻게든 돼요

하지만 노래나 댄스는 왕초보고…

무엇 보다 도

당신에게는 건강한 몸이 있고

코토리 씨 당신에겐 그게 가능하죠

오토나시 코토미 씨가 하고 싶어도 하지 못했던 것

아까 제 어머니가 목표 같은 거라고 말했었는데, 그 말은…?

······

오토나시 코토미씨는 쿠로이 프로듀서, 타카기 프로듀서,

두 사람이 실현 직전까지 갔던 전설의 무대에 섰어야 할 사람

하지만 서지 못했어

나는
그 무대 위에
서고 싶다고
생각해요

그것도
목표 중
하나
였군요…

그,
그래요

제 어머니는
'강한 아이돌'
하고는 완전
반대였다고
생각해요

뭐?

하지
만,

이미지가
망가질지도
모르겠는데

아이돌일 때에 어땠는지는 잘 모르지만

가사나 다른 일도 자주 실수했고, 조부모님들께도 폐만 끼쳤고

주위에선 혼자 놔둘 수 없는 그런 사람이었고

이게 대체 몇 접시째 일러나...?

할머니

아마도 카즈사 양이 말하는 '강한 아이돌'엔 어딘가가 부족한

'약한 아이돌' 이었다고 생각해

직전에 무대 위에서 도망쳐 버렸으니...

하지만요,

그래도요

그 사람은 가슴에…

그건…!

저는 어머니에게 아이돌의 자격이 없었다고는 생각하지 않으니까

……

그럼,
당신이 말하는
아이돌에게
필요한 것은
뭔가요?

앗

우~~음...

음~...

아이돌이 스테이지에서 열심히 하니까 팬이 생기는 거에요

팬이 있으니까 아이돌인 게 아니야!

하지만 여러 많은 사람들과 만나서―

저도 그렇게 생각했었어요

응

응원해주는
팬이 있으니까
아이돌은
아이돌이 된다고

응원해주는 팬이
한 명도 없는
아이돌은,

자칭
아이돌인
보통 사람

그래서
아이돌

블랙 니들
에게는
응원해주는
팬이 잔뜩
있으니까

응원해주는
팬의 수가
아이돌의
자질이란
소리?

수가
아니라…

저의
팬은
제로

그러니
보통
사람

스스로도 잘 말하진 못하겠지만…

뭐 그렇게 중요한 게 아닐까 하고…

마음의 연결이라던가…

응원해주는 사람들과의 인연…?

마음의 연결…?

저도 이 멋진 것을 누군가에게 전하고 싶어요

그런 아이돌이 있으면 좋겠네요

엇

쿠로이 프로듀서…

타카기 씨? 언제?

쿠로이 씨까지….

잡담을 하기 위해 스튜디오를 차지하고 있는 건 아니겠지

언제까지 쉴 셈이냐

예!

파앗

카즈사 양

저는 저의 이상을 목표로 할 뿐

잘 와주었어

타카기 씨!

블랙 니들의 무대에 나간다는 중요한 이야기를 왜 가르쳐주지 않은 건가요?

아니~ 하하 하하

사실을 말하면 자네는 와주지 않을 거라고 생각했으니까

당연하죠!

남 일처럼 말 하시네…

코토미를 담당했었던 이 사와다 군이 자네를 바짝 단련시켜 줄거야

허나

할 거라면 그냥 날림으로 서두르고 싶지는 않아

……

아 정말!

그런 식으로 말하면 거절할 수가 없잖아요!

꾸벅

잘 부탁 합니다

뭐~어?!

야외 라이브 ~~?!

깜짝

대체 무슨 일이 있었던 거?

어쩌다 흘러가다 보니…

하하…

코토리 너 정말로 아이돌이 될 셈…?

뭐 그런 거면 노래 잘하는 건 당연했네~

아냐!

그 때까진 완전히 완벽히 초보였을 뿐이야!

코토리짱이 그 쪽을 목표로 하는 지는 몰랐었네~

아침놀은 황금빛

THE IDOLM@STER

그런 사람이 우리 학교 축제에 온 거야?!

진짜?!

응 그 사람이 대형 예능회사 쪽이라

두 사람도 잠깐 봤을 텐데

학교 축제 때 보러왔던 건 예능업계 쪽 사람인가요?

우리들도 데뷔 시켜주지 않을려나~

정말이야?

그 사람, 우리 엄마의 프로듀서였던 사람이래

그렇군요. 이해가 되네요

하아~...

......

…올라갈 생각은 없는 건가요?

애시당초 나는 아이돌이 되고 싶다고는 전혀 생각하지 않았고

흘러가는 게 점점 상황이 달라지고 있기는 한데

사치?

오토나시 씨는 일부러 상경해서 어머님의 발자취를 쫓아왔던 거죠?

그러면…

단순히 어머니의 과거를 알고 싶었던 거였나요?

어?

응

애시당초 어째서 어머님의 과거를 알고 싶다고 생각했었나요?

어째서…?

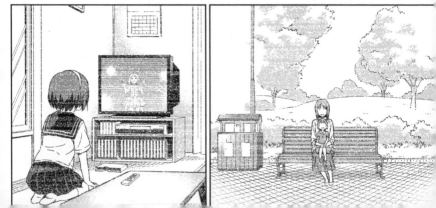

나는…

어렸을 때
엄마와 같이
노래하는 게
너무
좋아서—

아이돌
이었을 때의
엄마의
영상을
보는 게
너무
좋아서—

점점
안절부절
가만 있지
못하게
되었고—

그게
오토나시
양의
첫 충동
이라면…

아마도
마음은
거스를 수
없겠네요.

아침놀은 황금빛   THE IDOLM@STER ④ 끝

아침놀은 황금빛
THE IDOLM@STER

THE GAME FOLLOWS THE CAREER OF A PRODUCER WHO WORKS FOR
THE 765 PRODUCTION STUDIO AND HAS TO WORK WITH A SELECTION OF THIRTEEN PROSPECTIVE POP IDOLS

MSN Comics 020

아침놀은 황금빛 THE IDOLM@STER 4

2024년 6월 15일 초판 1쇄 발행

원작 BNEI / PROJECT iM@S　**각본** 타카하시 타츠야　**저자** 마나
번역 DAIN
편집·디자인 김철식

발행인 박관형
발행처 ㅁㅅㄴ(MSN publishing)
주소 [08271] 서울시 구로구 경인로20나길 30, A508
웹 http://msnp.kr　**메일** mi-sonyeo@naver.com　**FAX** 0505-320-2033

ISBN 979-11-87939-93-1 07830 (4권)

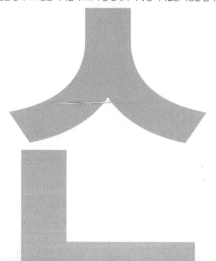